# El cartero gigante

**Primera edición** en Panamericana Editorial Ltda., septiembre de 2008

Primera edición Kingfisher, un sello editorial de Macmillan Children's Books,
© 2000 Macmillan Children's Books
Título original: *The Giant Postman*
Autor: Sally Grindley
Ilustrador: Wendy Smith

© 2008 Panamericana Editorial Ltda. de la traducción al español.
Dirección editorial: Conrado Zuluaga
Edición en español: Diana López de Mesa Oses
Traducción del inglés: Julio Caycedo Ponce de León

Calle 12 No. 34-20
Tels.: (57 1) 3603077 – 2770100
Fax: (57 1) 2373805
panaedit@panamericana.com.co
www.panamericanaeditorial.com
Bogotá D.C., Colombia

ISBN: 978-958-30-3062-8

Impreso por Panamericana Formas e Impresos S.A.
Calle 65 No. 95-28. Tels.: (57 1) 4302110 – 4300355. Fax: (57 1) 2763008
Bogotá D.C., Colombia
Quien sólo actúa como impresor.

Impreso en Colombia                                    Printed in Colombia

Sally Grindley

# El cartero gigante

Ilustraciones de Wendy Smith

PANAMERICANA
EDITORIAL

# Contenido

# Capítulo uno

—¡Ahí viene! —gritó
una pequeña niña.

—¡Ahí viene! —gritó el
vendedor de helados.

—¡Ahí viene! —gritó el
limpiador de ventanas.

Los niños dejaron en el suelo
sus maletas y corrieron.

Las personas que estaban de compras
dejaron sus bolsas y corrieron.

Las personas que habían salido a caminar
dejaron de hacerlo y CORRIERON.

Pronto la calle estaba vacía.

Estaba tan silenciosa que hubieras oído caer un alfiler.

9

Entonces sonó un fuerte pum.

Y otro. Y otro.
¡PUM! ¡PUM! ¡PUM!
Enormes botas hundieron el pavimento.
Enormes botas sacudieron las casas.

Detrás de las cortinas cerradas
las personas temblaban de miedo.

—Por favor, que no tenga ninguna
carta para nosotros —susurraban.

¡PUM! ¡PUM! ¡PUM!

El cartero gigante se acercaba.

# Capítulo dos

Gabriel y su mamá vivían
en el Número 24.

—¡Escóndete debajo de la mesa!
—gritó la mamá de Gabriel.

Pero Gabriel se quedó en la ventana
y vio al cartero gigante pasar
de puerta en puerta.

¡TUN! ¡TUN! ¡TUN!

El cartero gigante estaba justo
afuera de la casa de Gabriel.

¡TOC! ¡TOC! ¡TOC!

Golpeó la puerta.

—Tengo un paquete para ustedes —gritó.

—Solo déjelo afuera —dijo
la mamá de Gabriel.

—Oh no —contestó el
cartero gigante—. No
puedo hacer eso,
podrían robarlo.

¡TOC! ¡TOC! ¡TOC!

Gabriel abrió rápidamente
la puerta y se escondió
detrás de ella.

—¡Aquí tienes! —gritó
el cartero gigante
dejando el paquete
en el suelo.

Luego se fue dando grandes pisadas calle abajo.

—¿Se ha ido? —susurró la mamá de Gabriel.

—Sí, se ha ido —dijo él.

Luego Gabriel salió a caminar a la calle.

La calle estaba completamente vacía.

La puerta del jardín del señor Pérez
colgaba de las bisagras.

Los repollos del señor Díaz
estaban pisoteados.

El gato de la señora López
estaba en el techo de su casa
temblando de miedo.

Uno por uno los
vecinos aparecieron.

—¿Estamos a salvo? —preguntaron.

17

—Sí —dijo Gabriel—. El cartero se ha ido. Pero
es hora de que hagamos algo. Se supone
que debe ser divertido recibir cartas.

—Todos estamos demasiado asustados
como para hacer algo —dijeron.

—Bueno, pues yo no —dijo Gabriel—.
Voy a escribirle una carta para pedirle
que deje de asustarnos.

La multitud gritó emocionada.

—¡Además se la entregaré yo mismo!

# Capítulo tres

Ese mismo día, Gabriel se sentó y escribió la carta.

Apreciado señor cartero,
Mi nombre es Gabriel y vivo
en el pueblo.
Le estoy escribiendo para
pedirle que deje de asustarnos,
por favor.

El señor Díaz está muy enfadado por sus repollos y el gato de la señora López no quiere bajar del tejado.
Nos gustaría ser sus amigos.
Cordialmente,
Gabriel

Gabriel escribió "Señor cartero" en un sobre y puso adentro la carta.

Lugo se dirigió hacia el bosque en el que vivía el cartero gigante.

—¡No vayas Gabriel! —le rogó su mamá.

En su mano
Señor cartero
El bosque

—¡No vayas Gabriel! —le gritaron los vecinos.

Pero Gabriel siguió su camino,

pasó la panadería…

Zapatos

pasó la tienda de zapatos…

pasó la escuela…

hasta que finalmente
llegó al bosque.

El bosque era muy oscuro.

Gabriel oía sonidos extraños.

¡CRIC! ¡CRAC! ¡CUICH!

Gabriel comenzó a sentir miedo.

¡CRIC!

Gabriel quiso regresar.

¡CRAC!

Pero se convenció a sí mismo de seguir.

¡CUICH!

Corrió cada vez más rápido, hasta que…

al final llegó a un claro.

Ahí estaba la enorme casa
del cartero gigante.

Gabriel se sorprendió de ver
aquel jardín lleno de flores.

Luego caminó hacia la puerta.

# Capítulo cuatro

¡TOC! ¡TOC! ¡TOC!

Gabriel golpeó la puerta
del cartero gigante.

Pero nadie atendió.

¡TOC! ¡TOC! ¡TOC!

Gabriel golpeó un poco más fuerte.

Al final, escuchó unas fuertes pisadas.

¡SCUICH! ¡SCUICH! ¡SCUICH!

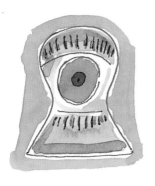

Luego Gabriel vio un ojo
gigante que observaba a
través de la cerradura
de la puerta.

—¿Qué quieres? —gritó
el cartero gigante.

—He t-t-t-traído una carta
—tartamudeó Gabriel.

—¿Qué quieres decir?
—dijo el cartero gigante—.
Yo entrego las cartas.

—Es una carta para ti
—respondió Gabriel.

Despacio, muy despacio,
la puerta se abrió.

El cartero gigante miró
fijamente a Gabriel.

El cartero tomó el sobre y le echó una mirada.

Despacio, muy despacio, sacó la carta.

La leyó una y otra vez.

Gabriel movía nerviosamente los pies en la entrada.

Estaba completamente solo con el cartero gigante.

Gabriel se sentía muy asustado.

Entonces notó que el cartero gigante llevaba pantuflas de conejito y que tenía agujeros en los codos de su suéter.

Gabriel lo miró a la cara y creyó verlo sonreír.

Pero el cartero gigante se dio la vuelta
y cerró la puerta sin decir una palabra.

Gabriel corrió durante todo el camino
de regreso a través del oscuro bosque...
hasta que finalmente llegó a su casa.

—¡Oh Gabriel! —gimió su mamá—.
Gracias al cielo que estás a salvo.

—Él leyó mi carta —dijo Gabriel—,
pero no dijo ni una palabra.

Espero no haberlo hecho enojar.

Esa noche Gabriel recordó
el jardín lleno de flores.

Recordó las pantuflas y los agujeros
en los codos del suéter.

El cartero gigante no parecía tan aterrador
sin su uniforme y sus grandes botas.

# Capítulo cinco

A la mañana siguiente,
Gabriel miró por su ventana.

No pasó mucho tiempo antes
de que viera gente corriendo
a ocultarse.

¡PUM! ¡PUM! ¡PUM!

El cartero gigante se acercaba.

Sus enormes botas hundían
el pavimento.

El cartero gigante se encontraba
afuera de la casa de Gabriel.

—¡Escóndete bajo la mesa!
—gritó la mamá de Gabriel.

Pero Gabriel abrió la ventana.

—Buenos días señor cartero —dijo.

El cartero gigante
llevaba un enorme sobre.

—Tengo una carta para ti
—dijo el cartero.

La dejó y luego se fue
pisoteando por la calle vacía.

¡PUM! ¡PUM! ¡PUM!

Gabriel corrió a la puerta.

Sacudió sus manos y sacó
la carta del sobre.

**Gabriel leyó:**

Querido Gabriel,

Gracias por tu carta.

Nunca antes había recibido una. No quiero asustar a la gente. Lamento lo de los repollos del señor Díaz. Me temo que soy un poco torpe con mis botas. ¿Podrías escribirme de nuevo mañana, por favor?

Es mi cumpleaños.

Tu amigo,

el cartero.

Gabriel sonrió y salió corriendo a la calle.

—Todo está bien —dijo agitando la carta.

Gabriel bailó de un lado a otro hasta que una multitud se reunió en torno a él.

Luego les mostró la carta a todos.

—¡Nunca había recibido una carta!
—dijo el señor Díaz.

—Mala cosa —dijo la
señora Garzón.

—Parece muy solitario
—dijo el señor Pérez.

—No me parece que quiera asustarnos
—dijo una pequeña niña—. Voy a hacerle
una carta de cumpleaños.

—Supongo que no lo ayuda mucho
ser torpe con sus botas
—dijo Gabriel.

Justo en ese momento
se le ocurrió una idea.

# Capítulo seis

Esa noche nadie pudo dormir. Las luces
estaban encendidas en todas las casas.
Un olor delicioso salía de la panadería
y un sonido estrepitoso se escuchaba
en la tienda de zapatos.

¡BANG! ¡TUM¡ ¡RRRRR!

En las calles las personas
estaban subidas en escaleras
y hacían arreglos.

42

Al amanecer, estaba listo.

Todos se asomaron por
sus ventanas y esperaron.
Y esperaron.

¡PUM! ¡PUM! ¡PUM!

El cartero gigante se
acercaba.

¡PUM!

¡PUM!

Las enormes botas
se detuvieron.

El cartero gigante
miró fijamente.

Y miró de nuevo.

Había pancartas y globos colgados
de cada casa y de cada poste de la luz.

Las pancartas decían:

¡PARA NUESTRO CARTERO,
UN MUY FELIZ CUMPLEAÑOS!

La orquesta del pueblo comenzó a tocar.

¡BUM! ¡BUM! ¡BUM!

¡TON! ¡TON! ¡TON!

Todos salieron en grupo a las calles
agitando cartas de cumpleaños.

45

Gabriel salió de la tienda de zapatos
arrastrando una carretilla. Sobre ella
había un paquete tan enorme como
jamás se había visto.

—FELIZ CUMPLEAÑOS SEÑOR
CARTERO —dijo Gabriel—. Este regalo
es de parte de todos nosotros.

Delicadamente, el cartero gigante quitó el
papel y levantó la tapa de la enorme caja.

—¡Justo lo que siempre había querido!
—dijo asombrado.

El cartero gigante levantó un par
de enormes tenis nuevos.

—¡Pruébatelos! —gritaron todos.

Entonces el cartero se los probó.

—¡Están perfectos! —dijo—.
Son muy suaves y ligeros.

El cartero caminó de un lado
a otro sin hacer un solo PUM.

Luego el cartero gigante
sonrío de oreja a oreja.

Todos lo aplaudieron.

49

—Es tiempo de celebrar —gritó Gabriel.

—Es tiempo de celebrar —gritaron todos.

El cartero gigante bailó por las calles.

—Es tiempo de celebrar —gritó el cartero con felicidad—. ¡Este es mi mejor cumpleaños!